Pe. JOSÉ ULYSSES DA SILVA, C.Ss.R.

10 MENSAGENS DE Nossa Senhora Aparecida

Direção editorial:
Pe. Fábio Evaristo R. Silva, C.Ss.R.

Coordenação editorial:
Ana Lúcia de Castro Leite

Revisão:
Denis Faria

Diagramação e capa:
Bruno Olivoto

ISBN 978-85-369-0524-2

2ª impressão

Rua Pe. Claro Monteiro, 342 – 12570-000 – Aparecida-SP
Tel.: 12 3104-2000 – Televendas: 0800 - 16 00 04
www.editorasantuario.com.br
vendas@editorasantuario.com.br

Introdução

Nossa Senhora Aparecida tem sido uma fonte de bênçãos e de esperanças para nosso povo. Sua pequena imagem se irradia por todos os cantos do nosso país e ocupa um lugar especial na piedade simples e fervorosa da nossa gente: *"Para todos tendes sido bênção: peixes em abundância, famílias recuperadas, saúde alcançada, corações reconciliados, vida cristã reassumida. Nós vos agradecemos tanto carinho, tanto cuidado!"*

Maria Aparecida é nossa. Ela é a Mulher, sempre toda de Deus e toda do povo. Nós cremos que, além dos sinais sacramentais, da Bíblia sagrada, dos pobres e necessitados, das famílias e das comunidades reunidas em oração, Jesus Ressuscitado mantém sua promessa de estar conosco até o fim dos séculos, também através das intervenções de sua Mãe em nossa história. Nossa Senhora é certamente a maior mensageira de seu Filho. Em Guadalupe, México, ela se manifestou ao nativo São João Diego, quando a chegada dos europeus significou também a dominação e até o extermínio dos povos nativos. Em Lourdes, França, ela dialogou com a camponesa Bernadete, revelando-se como a Imaculada Conceição, e fazendo com que uma pequena mina d'água se tornasse a fonte da cura corporal e espiritual para tantos enfermos do corpo e da alma. E em Fátima, Portugal, quando a Europa em guerra iria enfrentar mais duas tragédias, a revolução comunista e a II guerra mundial, Maria escolhe três crianças, pobres pastorzinhos, como canal de comunicação da sua mensagem de alerta e de esperança para o mundo ocidental.

Nossa Senhora Aparecida surgiu para nós no início do século XVIII, quando uma imagem quebrada foi pescada nas águas do rio Paraíba do sul. O Brasil era então um país em formação, com uma população composta de 1 terço de brancos e 2 terços de negros e índios escravos. Ao lado dessas etnias, iam surgindo os caboclos e mestiços, que não eram brancos nem escravos, sem direito algum de se tornarem cidadãos, em sua grande maioria analfabeta e empobrecida. A monarquia portuguesa dominava e explorava as riquezas da sua colônia, uma riqueza que dependia da zona açucareira do nordeste e da mineração do ouro em Minas Gerais, e era obrigatoriamente entregue toda ela a Portugal e aos demais países europeus.

Eis o contexto histórico do Vale do Paraíba em 1717, quando três caboclos ribeirinhos empurraram seus barcos para dentro do rio Paraíba e saíram a pescar, a mando das autoridades de Guaratinguetá. Elas haviam programado oferecer um lauto banquete ao governador da capitania de São Paulo e Minas de Ouro, Dom Pedro Miguel de Almeida Portugal e Vasconcelos, Conde de Assumar, que viajava para Vila Rica.

Uma imagem pescada

Não era temporada de pesca. Mas, não havia escolha. Domingos Garcia, João Alves e Filipe Pedroso foram obrigados a pescar. Devia ser pelo mês de outubro de 1717. Aqueles três pescadores saem de casa e remam para subir contra a correnteza o mais distante possível e começam a lançar suas redes, provavelmente tarrafas. Depois de tantos lances de rede sem nada pescar, a angústia começa a tomar conta daqueles homens. É o momento em que o olhar se volta para o alto numa súplica fervorosa para que algum peixe caísse em suas redes. Finalmente, na rede de João Alves enrosca-se o corpo de uma imagem. Um novo lance, e aparece também a cabeça. Uma pequena imagem quebrada, que ele reconhece ser de Nossa Senhora. Não a devolve às águas, mas coloca-a respeitosamente no fundo da barca. A partir desse momento, os três pescadores conseguiram uma pesca milagrosa, mais do que suficiente para atender à solicitação das autoridades. Eles foram os primeiros a reconhecer que aquela imagem quebrada fora um sinal de Deus naquela situação angustiante. Levaram a imagem para a casa de Filipe Pedroso. Como a cabeça viera separada do corpo, colaram-na com cera de abelha. A partir daí, aquela imagem enegrecida de Nossa Senhora irá reunir ao redor de si famílias e peregrinos. Ela será a Nossa Senhora, Aparecida nas águas do rio Paraíba.

Durante quase três décadas, a imagem foi objeto de devoção liderada por leigos pobres, que promoviam a oração do rosário dentro de uma capela rústica. Somente em 1745, com o crescimento das romarias, o Pe. José Alves Vilela, pároco de Guaratinguetá, construiu uma primeira capela sobre o Morro dos Coqueiros, para onde foi levada a imagem de Nossa Senhora. Em 1888, foi inaugurada a antiga Basílica e em 1904, deu-se a coração de Nossa Senhora. Em 1930, ela foi proclamada Rainha e Padroeira do Brasil. E o papa, São João Paulo II consagrou a nova Basílica em 1980, cuja construção começara em 1955.

Há três séculos, ela é objeto de devoção, é fonte de bênçãos, é a intercessora do povo brasileiro. Trata-se de uma pequena imagem barroca, com apenas 37 cm, esculpida em terracota segundo a escola de Frei Agostinho da Piedade, na primeira metade do séc. XVII. Provavelmente, foi lançada no rio Paraíba por ter-se quebrada, separando o corpo da cabeça. É admirável como rolou pela correnteza do rio, não se sabe por quanto tempo, até ser encontrada pelos pescadores. Mais admirável ainda que corpo e cabeça fossem pescados em dois lances de rede, quando normalmente deveriam estar distantes entre si. Certamente, há um desígnio especial de Deus, que fez com que uma imagem quebrada fosse portadora de uma mensagem de esperança, que se mantém ao longo do tempo.

Nosso país continua vivendo situações de injusta social e de corrupção ética, que causam desesperança quanto ao futuro. As classes dominantes da política e da economia se sucedem em sua insensibilidade diante das classes mais sofridas, tentando contentá-las com as migalhas que caem de suas fartas mesas. Por isso, continuamos necessitados da proteção especial de Nossa Senhora Aparecida. Mesmo quando todas as esperanças se desvanecem,

Aparecida será sempre o ponto de chegada e de partida daquela esperança, que não depende somente dos homens.

As mensagens da Mãe Aparecida

Nossa Senhora Aparecida tem sido um lugar onde o peregrino renova sua coragem de viver e sua esperança de alcançar vida em abundância. É verdade que no evento de Aparecida, não há videntes, não há visões nem mensagens especiais da Virgem de Aparecida, como aconteceu em Lourdes, em Fátima e com Nossa Senhora de Guadalupe. Mas, como Deus se comunica também através de sinais e de símbolos, podemos colher a Mensagem de Nossa Senhora Aparecida dos acontecimentos da pesca no rio Paraíba, da contemplação da pequenina Imagem de Nossa Senhora Aparecida e de todos os fatos que têm acontecido em Aparecida ao longo de três séculos. Nada aconteceu por acaso.

Nós cremos que Maria assumiu a missão de ser a mãe de Jesus, Filho do Altíssimo, não como um privilégio nem numa atitude passiva, mas como uma missão, em que ela sempre esteve colaborando com seu Filho, como fez nas Bodas de Caná. Ao longo da história cristã, Maria continuou sua missão, já que o Filho nos confiara a ela como seus filhos. Por isso, ela pode ser chamada de mãe, de medianeira, de intercessora. Ela é e será sempre para todos nós a Mãe da misericórdia, a Mãe da nossa esperança, a Compadecida, como bem denominou Ariano Suassuna, em seu Auto da Compadecida.

Enquanto a obra da abundante Redenção de Jesus estiver em processo de transformação da história humana, Maria continuará exercendo a sua missão junto ao Povo de Deus, jamais deixando de cuidar maternalmente de seus filhos e filhas, mesmo daquelas que dela se esquecem ou não a respeitam.

1ª MENSAGEM

A IMAGEM EMERGE DO FUNDO DAS ÁGUAS

Nossa Senhora Aparecida nos ensina a importância e a dignidade do batismo, que nos faz povo de Deus

A água, além de ser um elemento vital, oferece uma simbologia bíblica muito forte, também vinculada à vida e à purificação. Na Bíblia, se a água do mar mostra-se ameaçadora, porque nela habitam os monstros, a água dos rios e das fontes são sinais de vida. Matam a sede, limpam o corpo e curam as doenças. Mergulhar e lavar-se nas águas, seja do rio Jordão como na piscina de Siloé, acenam para o sentido espiritual do rito do Batismo. Para o cristão, o Batismo se reveste de uma significação ainda mais profunda. Ele recebe o batismo, não o de João Batista, mas o de Cristo, ou seja, participa da novidade acontecida no momento em que Jesus foi batizado no rio Jordão. Já não se trata mais de um batismo apenas de conversão e de purificação, mas de participação na filiação divina de Jesus: "Este é meu Filho querido, sobre quem pus todo o meu amor" (Mt 3,17). E São Paulo aprofundou a teologia do batismo cristão, quando afirma que fomos mergulhados na morte de Jesus para ressuscitar com Ele para uma vida nova (Rm 6,3-5). É esse o novo nascimento na água e no Espírito, preconizado por Jesus a Nicodemos (Jo 3,5).

A nossa pequena imagem de Nossa Senhora brotou das águas do rio Paraíba. Não sabemos ao certo por quanto tempo permaneceu no fundo do rio, quebrada, envolvida pelo lodo e rolando ao sabor da correnteza. Contudo, quando ela é pescada e emerge do fundo do rio, essa imagem vai se transfigurando, adquire uma luminosidade espiritual que se irradia daquela terracota enegrecida e atrai tanta gente para contemplá-la e cantar os seus louvores, como fizera outrora sua prima Isabel. Certamente, a imagem de Nossa Senhora Aparecida revela toda a beleza da graça transformadora do batismo. Nós também somos apenas barro, que nascemos já com as manchas do lodo da história humana. Pelo batismo, Deus nos comunica o seu Espírito, nos incorpora em seu Filho querido e nos transfigura para nos tornarmos luz do mundo.

O sacramento do Batismo é o ponto de partida da nossa pertença ao Povo de Deus e da nossa cidadania na Igreja de Jesus. A Trindade santa consagrou-se a cada um de nós, dando-nos a graça santificante, ou seja, tornando-nos templos vivos do Espírito Santo. Viver bem como cristão depende da nossa fidelidade a essa primeira aliança divina, que Deus gratuitamente fizera conosco para ser o nosso Deus e nós sermos seus filhos e filhas queridos. E é a partir do Batismo que recebemos a força espiritual para vivermos no mundo como discípulos e missionários do Senhor Ressuscitado.

Oração:

Senhora e Mãe Aparecida, ao contemplar a vossa pequenina Imagem, que brotou das águas de um rio, eu quero agradecer a grande graça do meu Batismo. Fazei-me lembrar de que eu também sou feito de barro, mas o bom Deus me fez brotar das águas do santo Batismo, concedendo-me a sua graça e a sua luz. Fazei, Mãe querida, que eu seja digno desse imenso dom. E se infelizmente eu mergulhar de novo no lodo do pecado, pescai-me de volta e fazei-me recuperar o quanto antes a graça de vosso Filho, através da conversão e do perdão. Amém!

2ª MENSAGEM

A IMAGEM É COLOCADA DENTRO DE UMA BARCA

Nossa Senhora Aparecida nos convoca a ser Igreja e a viver na Igreja

A pequena imagem, pescada em dois lances de rede, foi colocada dentro da barca dos pescadores. A barca é o símbolo evangélico da Igreja de Jesus. Basta conferir várias passagens dos Evangelhos para dar-nos conta da riqueza dessa simbologia. A barca dos pescadores de Genesaré tornou-se um ponto de encontro com Jesus. A barca dos pescadores de Itaguaçu tornou-se o ponto de encontro com a Mãe de Jesus. Na barca de Pedro, Jesus provoca uma pescaria milagrosa, que anuncia a grande pescaria evangelizadora que os Apóstolos iriam realizar como pescadores de homens. Na barca dos três pescadores, a Senhora Aparecida concede-lhes uma pescaria abundante, que os liberta da angústia diante da ordem das autoridades de Guaratinguetá, para prover a mesa do Conde de Assumar. E será a partir dessa barca que Maria Santíssima se tornará a grande Estrela da Evangelização do nosso povo.

A experiência que fazem os discípulos da presença de Jesus em sua barca torna-se uma perfeita pedagogia da presença de Jesus em sua Igreja. É o próprio Jesus quem transforma a barca de pescadores no símbolo da sua Igreja, quando provoca por duas vezes uma pesca abundante. Na primeira, para tornar aqueles pescadores em pescadores de homens (Lc 5,1-11), dando-lhes a entender o sucesso da evangelização. Na segunda, identificando-se como o Ressuscitado, que lhes daria a segurança na pescaria evangelizadora, e confirmando Pedro como pastor do seu rebanho (Jo 21,3-8). Assim, a barca dos pescadores tornou-se o símbolo da própria Igreja, que navega dentro da história humana, superando tempestades, sem jamais naufragar, porque o Senhor está dentro dela. Ser Igreja-barca significa não depender da segurança da estabilidade institucional, como se devesse ficar sempre ancorada no porto. Sua missão é navegar sempre, sem medo dos desafios da história, desde que Jesus esteja presente dentro dela. Ele lhe garante a superação dos ventos e das tempestades, que amedrontavam aquela primeira comunidade dos seus discípulos (Mt 8,23-27).

Eis a beleza do simbolismo que podemos contemplar nesses três pobres pescadores e na presença de Maria, cuja imagem eles recolheram com tanto respeito no fundo do barco. Daquele barco, a imagem desembarcou no casebre de Felipe Pedroso, em seguida foi-lhe construída uma tosca capelinha, até chegar à Basílica antiga e, agora, à imensa Basílica atual. É como se aquele pequeno barco fosse se transformando e crescendo, para acolher a todos os que querem estar na barca da Igreja. Dentro da barca dessa imensa Basílica, Maria não ocupa o centro, mas está no meio do seu povo, atenta à proclamação da Palavra e aos sinais da presença eucarística do Senhor. "É, por esta razão, saudada como membro eminente e inteiramente singular da Igreja, seu tipo e exemplar perfeitíssimo na fé e na caridade; e a Igreja católica, ensinada pelo Espírito Santo, consagra-lhe, como a mãe amantíssima, filial afeto de piedade" (*Lumen Gentium,* n. 53).

Por isso, uma das mensagens importantes da Mãe Aparecida é o convite para sermos Igreja e para permanecermos dentro da barca da Igreja, como participantes fiéis e ativos de nossas comunidades. Será sempre como Igreja e dentro da barca da Igreja que encontraremos Maria e o seu Filho ressuscitado, aquele que acalma o mar e afasta os vendavais. Ele nos dará serenidade para seguirmos em frente com nossa história e nos fará atingir a margem da eternidade, sãos e salvos.

Oração:

Senhora e Mãe Aparecida, quando fostes colocada dentro da barca dos três pescadores, vós me lembrais que a barca de Pedro é um símbolo da Igreja de Jesus. *Concedei-me, Senhora, a graça de permanecer dentro dessa barca, onde Jesus está presente e acalma as tempestades da vida. Fazei-me ser fiel à Igreja, na qual recebi a graça do meu Batismo. Que nada e ninguém me levem a abandonar ou a trocar essa barca da minha fé e da minha comunidade jamais. Amém!*

3ª MENSAGEM

A IMAGEM É ENCONTRADA E ACOLHIDA POR TRÊS PESCADORES

Nossa Senhora Aparecida está com os pobres e aflitos

As manifestações de Deus ao longo da história, geralmente, não são feitas através de pessoas importantes, de classe social elevada, nem da hierarquia clerical. Deus se comunica preferencialmente através de pessoas simples, os pobres de espírito, como São João Diego, no México, Santa Bernadete, em Lourdes, os 3 Pastorzinhos de Fátima. Em Aparecida, os escolhidos foram três pescadores pobres e trabalhadores, que pescaram a imagem, num momento de tensão, de medo e de oração. A pescaria milagrosa os liberta da ameaça dos poderosos. E a casa de um dos pescadores torna-se o primeiro santuário de Nossa Senhora Aparecida. O milagre das velas, que se reacendem por si próprias, simboliza como Nossa Senhora viera para iluminar a esperança dessa pobre gente. Também aqui se revela a opção que Deus faz pelos pobres como seus preferidos, porque deles é o Reino do céu, e eles são os melhores transmissores dos mistérios de Deus.

Até hoje, a maioria dos romeiros de Aparecida é constituída por famílias e pessoas simples. A alegria de vir até Aparecida e de passar algumas horas dentro do espaço do Santuário representa para eles uma experiência maravilhosa de fé, de piedade e de repouso físico e espiritual. Ficam encantados com a grandiosidade da Basílica, sentem-se em casa aos pés da Mãe Aparecida, participam festivamente das celebrações e passam diante da pequena imagem como se a estivessem visitando no céu.

Aparecida confirma a preferência bíblica de Deus pelos pequeninos ('*anawim*', Lc 10,21) do Evangelho, sempre necessitados de Deus, porque somente Ele é o seu refúgio. Toda a revelação divina foi feita através dos pequeninos. Deus escolhera o povo israelita, um povo de pequeninos, porque não passava de tribos escravizadas antes de serem libertados e constituídos como povo. Estava longe de ser um povo desenvolvido, como o Egito, a Babilônia, o Império Hitita. Jesus veio até nós como o pequenino do Pai, o despojado da sua divindade (Fl 2,6-8). Quando proclamou suas Bem-aventuranças, Jesus de fato canonizou os pequeninos, aos quais pertence o Reino dos céus (Mt 5,3-12). Maria Santíssima fazia parte do povo de vida simples, era uma pequenina, que cantou sua pequenez diante da escolha, que Deus dela fizera (Lc 1,48).

Infelizmente, como aconteceu com o Povo do Antigo Testamento, após ter conquistado a Terra prometida, muitas Igrejas cristãs têm passado pelas mesmas tentações de não assumir pra valer o modo de ser e de se revelar do nosso Deus, deixando-se levar pelo encanto do poder mundano. Os pequeninos facilmente deixam de ter voz e vez e as hierarquias e 'pastores' assumem o controle total do poder religioso. O Espírito Santo, a partir do Concílio Vaticano II, conseguira provocar um movimento de opção preferencial pelos pobres e pequeninos, assumido com entusiasmo pelas inúmeras pequenas comunidades de base, que foram estruturando um novo modelo de Igreja. Mas, houve um retrocesso doloroso nessa caminhada, e restaurou-se um espiritualismo alienante, mais fácil de produzir proselitismo, multiplicando a proliferação de movimentos e seitas. Com o Papa Francisco, voltou a ecoar fortemente em toda a Igreja e em todo o mundo o grito dos descartados, dos migrantes, de todos os sofredores e de toda a nossa mãe terra. Parece, porém, que o Papa é mais admirado do que imitado. Não são muitos os que gostam do "cheiro das ovelhas". Ainda que seja muito mais gratificante e menos estressante fazer celebrações-espetáculos, com paramentos vistosos, promover procissões com o Ostensório e provocar emoções espirituais no povo, isso não basta para sermos fiéis ao Evangelho. É urgente voltar a celebrar a Vida de Jesus encarnada na vida dos pobres e aflitos, e comprometer-se contra os grandes pecados que causam a opressão e os males da nossa sociedade. Se não optarmos pelos pequeninos, não herdaremos o Reino dos céus.

Mesmo que a pequena imagem de terracota tenha sido coberta com um manto real e uma coroa de ouro, e nós a aclamemos como rainha do Brasil, Nossa Senhora Aparecida permanece sempre a pequenina de Deus e do povo. Será que, ao contemplar a sua imagem e rever a sua história, não poderíamos nos deixar provocar novamente pela opção preferencial que Deus fez, que Jesus e Maria vivenciaram, e reassumir a opção preferencial da Igreja pelos pobres? É preciso ser cristãos a partir do jeito de Jesus e fazer pastoral a partir das periferias, para que os pequeninos voltem a ser protagonistas da sua caminhada de fé e vida, em busca da Terra prometida de justiça e de paz.

Oração:

Senhora e Mãe Aparecida, buscastes sempre os pobres e os pequeninos para serem mensageiros da vossa preocupação materna pela paz e pela justiça no mundo. Recordai-me sempre que é preciso ser pequenino para herdar o Reino dos céus e que serei julgado por vosso Filho conforme a minha solidariedade com todos os pequeninos e necessitados da nossa sociedade (Mt 25,31-46). Mãe Santíssima, libertai-me do orgulho, da arrogância e da ganância. Como vós e como vosso Filho, que eu me faça pequenino e que tenha compaixão dos pobres, comprometendo-me com a libertação dos grandes pecados sociais que continuam a oprimir a vida de tantos irmãos e irmãs. Amém!

4ª MENSAGEM

A IMAGEM TEM A COR NEGRA

Nossa Senhora Aparecida é solidária com os negros escravizados

A escravidão manchava a história de um Brasil oficialmente católico, mas com a consciência amortecida diante do pecado de opressão e de genocídio dos escravos negros. O próprio clero era omisso e até usufruía da escravidão negra, com a desculpa de que era melhor ser um escravo cristão do que ser um pagão livre. Por volta de 1717, calcula-se que mais de 1 milhão e meio de homens e mulheres de cor negra já tinham sido trazidos como escravos para o Brasil. Foram cerca de 400 anos de pecado social e eclesial, semelhantes aos 400 anos de Israel na escravidão do Egito.

As imagens barrocas de Nossa Senhora da Conceição normalmente eram figuras brancas com vestes policromadas. Por que a Senhora de Aparecida surgiu enegrecida pela lama do rio, sem cores, e escureceu-se ainda mais com a fumaça das velas e dos lampiões que se acendiam para a recitação dos rosários e das ladainhas do povo simples, entre os quais tantos negros? Certamente, há uma mensagem nesse fato. Em 1717 ainda não havia nenhum movimento significativo de emancipação dos negros escravos. Por isso, a cor negra da imagem traduz a solidariedade de Maria com a raça negra, tão injustamente escravizada. De modo especial, com a mulher negra, ainda mais explorada no trabalho e desvalorizada em sua dignidade de mulher, como objeto sexual de seus patrões. A cor da pequena imagem denunciava o pecado do preconceito racial e anunciava a esperança de libertação. A narrativa da libertação do escravo Zacarias, por volta de 1850, deixa bem clara a opção de Maria, fazendo com que as correntes que prendiam o negro se soltassem e o deixassem livre. Revela também a fé e a piedade de um negro, muito mais cristão do que o patrão escravagista e seus feitores. Mais do que palavras ou protestos, a imagem de Nossa Senhora de Aparecida, sendo venerada por todos, pobres e ricos, brancos e negros, foi modificando a cultura escravagista, enquanto era um chamado forte para a igualdade de dignidade de todos os seres humanos. Se Maria se apresenta negra, por que negar a dignidade humana de todos os que tinham na pele a sua cor? Eis uma mensagem que continua válida até hoje para nós cristãos, porque se já não há escravidão oficial, persiste o preconceito social, que impede a maioria dos negros de chegarem à terra prometida da plena igualdade de direitos, da justiça social e da reparação do tremendo pecado da escravidão.

No passado, houve omissão da denúncia profética do grande pecado da escravidão, cabendo a uma pequena imagem negra incomodar a consciência cristã. Hoje, diante de tantos pecados de injustiças sociais e de exploração humana, parece haver uma apatia geral da maioria dos grupos cristãos, que se contentam em louvar, cantar, buscar curas e milagres. Talvez, não nos omitamos como presença e como ação, mas nos encolhemos como denúncia. O Papa Francisco denuncia uma Igreja acomodada, provoca-a para saídas proféticas, clama em favor dos migrantes forçados, dos descartados do bem comum, denunciando o capitalismo desenfreado, a indústria das armas, a exploração inescrupulosa da terra, o tráfico de pessoas etc. Não podemos nos subtrair ao dever de profeta, como tentou Jonas, pede-nos o Papa Francisco. É preciso interrogar-se sobre o que pedem Deus e a humanidade aos cristãos de hoje.

Oração:

Senhora e Mãe Aparecida, contemplo a vossa imagem negra e vejo como o nosso mundo ainda está cheio de preconceitos perigosos. Não somente em relação às irmãs e aos irmãos negros, mas também em relação à maioria do povo pobre e periférico, cujos direitos de cidadania não são respeitados. Apesar de nossos gestos de caridade, não conseguimos construir fraternidade verdadeira entre nós. Por isso, venho vos suplicar que me deis um coração semelhante ao vosso, capaz de respeitar incondicionalmente cada ser humano simplesmente pelo fato de ser uma pessoa humana, que vós amais como filho e filha. Que os encontros e o respeito que praticamos nas igrejas e santuários se estendam em nossos locais de trabalho e em nossa vida social. Fazei que sejamos cristãos em todos os momentos, lugares e situações da nossa vida, para que sejamos sal da terra e luz do mundo, capazes de humanizar sempre mais nossa convivência social. Amém!

5ª MENSAGEM

A IMAGEM MOSTRA SINAIS DE GRAVIDEZ

Nossa Senhora Aparecida sempre nos traz Jesus

A imagem pequenina é uma escultura barroca de Nossa Senhora da Conceição, título que, antes de indicar o dogma da Imaculada Conceição, expressava o fato de Maria ter concebido por obra do Espírito Santo. Quando a miramos de perfil, percebemos que é a imagem de uma mulher que está no início da gravidez, quando Maria foi visitar sua prima Isabel. Ela, já trazendo Jesus em seu ventre, causou alegria à criança, João Batista, que estava no ventre de Isabel, fez com que sua prima a proclamasse bendita entre as mulheres e ela própria irrompeu num canto de exaltação ao Deus de misericórdia, com seu Magnificat. Essa cena bíblica nos faz acreditar que a missão de Maria será sempre a de trazer-nos Jesus e oferece-lo a nós, aquele que é o fruto bendito do seu ventre e nosso Salvador.

Ao longo desses séculos de devoção e de bênçãos, certamente o Santuário de Aparecida tem renovado essa cena da Visitação para milhões de romeiros. A visita à pequenina imagem quase sempre provoca um encontro com o seu Filho Redentor. A Capela da Penitência está sempre cheia de peregrinos buscando o Sacramento do Perdão. As Celebrações Eucarísticas envolvem uma imensa assembleia, que participa com piedade e alegria. Para muitos, é um momento de conversão pessoal, que os reintegra na participação ativa da Igreja. Para outros, que chegam em romarias paroquiais e diocesanas, é uma imensa confraternização da fé, que os reanima a continuarem vinculados às suas comunidades de origem. Os peregrinos se deixam encantar por tudo o que experimentam em Aparecida e neles desperta a sede espiritual de renovar a graça de Deus e reintegrar-se na Igreja. Pode-se afirmar que a grande maioria dos romeiros regressa com o coração cheio de esperança e de alegria.

Essa foi sempre a missão de Maria Santíssima: levar seus filhos e filhas ao Filho e interceder junto ao Filho por seus filhos e filhas. Assim fez ela na Visitação e no casamento de Caná. Assim tem feito ao longo dos séculos, principalmente em seus grandes santuários. Afinal, ela própria é a nossa esperança já realizada plenamente. A abundante Redenção impregnou-a inteiramente. Por isso, ela é a Imaculada Conceição e já experimenta a plena participação na Ressurreição de seu Filho, por sua Assunção. Tudo o que a Trindade santa quer realizar em cada um de nós, já efetuou de modo perfeito nessa pequena jovem de Nazaré, como um protótipo que nos assegura a força do seu amor, capaz de transfigurar qualquer ser humano que, a exemplo de Maria, responda também a Deus: "Faça-se em mim segundo a tua Palavra!"

Quem deseja ser discípulo-missionário do Senhor deve ter Maria Santíssima como exemplo maior da sua ação missionária, mantendo sempre como único foco evangelizador o de levar Cristo ao mundo. Quem leva Jesus, leva primeiramente alegria e vida em abundância às pessoas (Jo 10,10). Somente quem leva vida aos outros tem direito de dar a razão da sua esperança, através de doutrinas, catequese e celebrações.

Oração:

Senhora e Mãe Aparecida, sois o sacrário vivo do vosso Filho, sempre desejosa de trazer Jesus a nós. A vossa presença me transmite esperança, alegria e imensa confiança no amor infinito de Deus por mim. Sois realmente a Mãe compadecida, e vosso olhar sempre cheio de ternura me convida a aceitar Jesus como meu Irmão e Salvador, aquele que me revela o rosto humano de Deus e o rosto divino do homem. Fazei, Senhora, que, a vosso exemplo, eu seja também portador da presença viva de Jesus, pelo meu jeito de ser e de promover a fé e a vida ao meu redor. Amém!

6ª MENSAGEM

A IMAGEM FOI PESCADA COM A CABEÇA E O CORPO SEPARADOS

Nossa Senhora Aparecida nos une e nos reúne em comunidade

O fato de a pequena imagem ter sido pescada em dois lances de rede, primeiro o corpo e depois a cabeça, é espantoso, para não dizer milagroso. Traz consigo um simbolismo e oferece uma bela mensagem. As duas partes estão rompidas, mas não estão distantes. Nós contemplamos Maria como discípula perfeita de Jesus e como protótipo da Igreja. Jesus nos foi dado como nova cabeça da humanidade, que precisa estar unida ao seu corpo, a Igreja, para que se realize a abundante Redenção da humanidade. Assim como Maria sempre viveu unida a seu Filho, assim também a Igreja precisa estar sempre unida ao seu Senhor, se de fato quer ser sacramento da Salvação para seus membros. E assim como foi preciso unir novamente o corpo à cabeça para reconstituir a imagem de Nossa Senhora Aparecida, assim também, é necessário unir sempre de novo a Igreja a Jesus, para que se torne e se mantenha como Corpo místico de Cristo.

Devemos reconhecer que essa união é frágil e já se desfez várias vezes ao longo da história, como aconteceu com a imagem de Nossa Senhora Aparecida. Quando se é infiel ao Evangelho e quando há disputas de poder, deixamos de ser um só rebanho e um só Pastor. Somos tantas denominações cristãs, divididas e conflitantes entre si. Agarramo-nos às disputas entre nossas instituições e corremos o risco de perder o foco essencial de nossa fé cristã, que é a pessoa de Jesus e o seu Caminho de vida e de amor. Diante de um mundo que se descristianiza e se desumaniza, seria maravilhoso que todos tivéssemos uma só cabeça, Jesus.

Somos todos primeiramente discípulos e missionários do Senhor. É fundamental partir sempre de Jesus, para estabelecer um diálogo realmente cristão entre todas as denominações cristãs. Nenhum cristão e nenhuma denominação deveriam jamais supor que já são portadores de uma união estável entre cabeça e corpo. É uma união que precisa ser reforçada e retomada sempre de novo, porque somos uma Igreja também pecadora e frágil, e nossos pecados sempre causam desunião entre corpo e cabeça. Ainda bem que, como o corpo e a cabeça de Nossa Senhora, Deus tem milagrosamente mantido cabeça e corpo bem pertos uma do outro, para que se refaça rapidamente a nossa união com Jesus e a unidade da sua Igreja.

Oração:

Senhora e Mãe Aparecida, fostes pescada com o corpo separado da cabeça, que os pescadores uniram carinhosamente com cera de abelha. Assim, vós me lembrais que somos o Corpo místico de vosso Filho e que Ele é a nossa Cabeça. Ajudai-me a viver sempre unido a Jesus, pela graça divina. E quando a minha fragilidade me fizer ficar separado dele, fazei-me buscar logo o sacramento do perdão, para refazer essa união. E olhai por toda a Igreja de Jesus, ajudando-a a buscar no diálogo e no mandamento do amor, o caminho da reunificação, para que haja um só rebanho e um só Pastor. Amém!

7ª MENSAGEM

A IMAGEM TEM AS MÃOS POSTAS EM ORAÇÃO

Nossa Senhora Aparecida sempre nos convida à oração

A imagem apresenta Maria de mãos postas, em atitude de oração. Assim, ela revela sua missão principal que é a de ser nossa intercessora junto ao Filho, assim como fizera nas bodas de Caná. No Auto da Compadecida, de Ariano Suassuna, Maria mostra-se como a Mãe que se compadece e intercede por todos os seus filhos, frustrando a vitória certa do demônio. Ela se faz a advogada, que suplica a misericórdia divina por todos aqueles que apelam a ela, como última instância de esperança, como também por tantos filhos que nem sequer sabem suplicar. Assim como atendera ao apelo do escravo Zacarias e socorrera aquele homem ameaçado por uma onça, da mesma forma, ela ouve também com atenção todos os que humildemente lhe pedem uma bênção ou uma graça. Por isso, a maioria dos peregrinos, que acorre aos santuários marianos, vêm primeiramente para agradecer tantas graças alcançadas. Só então apresentam também seus pedidos.

Ao mesmo tempo, as mãos postas de Nossa Senhora são um convite a todos os seus devotos para que se dediquem à oração e nela confiem. Como aconteceu em Pentecostes, também esta Basílica é um imenso Cenáculo, onde Maria está no meio do seu povo para que todos perseverem unânimes na oração (At 1,14). Sem oração, o ser humano se desumaniza e se condena. Com a oração, haverá sempre uma porta da esperança aberta em direção a Deus, que nem o pecado nem a morte podem fechar.

Os verdadeiros santuários são sempre lugares de intensa oração. Uma oração celebrada junto com os ministros, mas principalmente uma oração que brota espontânea e generosa dos lábios dos peregrinos. O diálogo confiante entre os filhos e a Mãe manifesta uma profunda piedade popular, consagrada pelo Documento de Aparecida como uma autêntica espiritualidade cristã (cf. n. 258-265).

A exemplo da imagem de Nossa Senhora Aparecida no fundo da Basílica, é importante não apenas a oração individual, mas também a oração no meio do povo, que nos impregna da sua piedade e espiritualidade. Agradecer, alegrar-se, celebrar, suplicar, orar com nossa gente, nos mantem na consciência de que somos todos Povo de Deus e é dentro desse Povo que seremos salvos por Jesus Cristo.

Outro exemplo que nos oferecem as mãos postas da Mãe Aparecida é a nossa missão de interceder sempre pelo nosso povo. A intercessão deve ser nosso primeiro gesto de solidariedade diante de qualquer situação humana de alegria ou de tristeza, de saúde ou de doença, de êxitos ou de tragédias, principalmente quando se trata de um povo com rostos concretos, que nós conhecemos bem, porque vivemos próximos a eles. A oração nos moverá à ação fraterna de ajuda, de misericórdia e de libertação, capaz de plantar novamente a esperança no coração de nossos irmãos e irmãs.

Oração:

Senhora e Mãe Aparecida, quanta confiança eu sinto quando vejo vosso olhar materno fixo em mim e vossas mãos postas, suplicando em meu favor. Tenho certeza de que Jesus jamais vos nega pedido algum, principalmente porque sois sempre a nossa advogada. Ensinai-me a rezar, ensinai-me a louvar e agradecer mais do que a suplicar, ensinai-me a fazer tudo o que vosso Filho me disser. E dai-me um coração solidário, capaz de interceder pelo meu povo e por suas grandes aflições. Que a oração se torne em mim um diálogo filial, que brote espontaneamente do meu coração e dos meus lábios, na certeza de que estais sempre a meu lado orando comigo e orando por mim. Amém!

8ª MENSAGEM

A IMAGEM É PEQUENA

Nossa Senhora Aparecida nos ensina a ser humildes

Maria havia reconhecido que Deus "olhara para a humildade de sua serva". Tudo ela devia a Deus, cuja misericórdia realizara maravilhas em sua vida. Convivera por muitos anos com seu Filho em Nazaré. Contudo, quando Ele começara seu ministério público e era louvado pelo povo, Maria como que se escondia. Sua presença se tornará explícita poucas vezes, como nas bodas de Caná e aos pés da Cruz.

Hoje, quando contemplamos no fundo da imensa Basílica de Aparecida aquela imagem pequenina, de 37 centímetros apenas, sendo que o centro da Basílica é ocupado pelo ambão da Palavra de Deus e pelo altar central, símbolos da presença de Jesus, que anuncia sempre de novo a Palavra e renova a sua Última Ceia, de certo modo repete-se a atitude humilde da Maria dos tempos do Evangelho. Ela está no meio do seu povo, bem lá no fundo, de mãos postas, louvando, agradecendo e suplicando por todos. Ainda que lhe tenham colocado um manto real e uma coroa de ouro, ela será sempre e simplesmente, Maria de Nazaré, a mulher, a mãe, a companheira, e a mais santa de todos os que esperam a salvação de seu Filho. Assim, Maria nos ensina que a humildade é a atitude fundamental para que o Senhor possa fazer grandes coisas em nossas vidas.

A humildade é a raiz da nossa vida espiritual. É preciso que nos sintamos sempre e realmente pequenos diante do mistério de Deus, pequenos em nossa fé, pequenos em nossa oração, com um sentimento de real necessidade da sua misericórdia em nossas vidas. Por vezes, quase que de modo inconsciente, instala-se em nós certa vaidade espiritual, criando a ilusão de que já adquirimos alguns méritos diante de Deus ou que a nossa fé é superior à das outras pessoas. Essa é uma das piores tentações na vida espiritual, uma presunção perigosa, que bloqueia a ação do Espírito em nós. Há vaidades pessoais e há vaidades de grupos ou de movimentos, muito próximos à vaidade daqueles fariseus, que rejeitaram Jesus, porque se achavam mais fieis a Deus do que Ele. A vaidade espiritual nos isola perigosamente da comunicação e da união com o Senhor. Maria era dos pequeninos do Reino, Jesus fez-se pequenino para chegar a nós, todos os santos foram pessoas profundamente humildes (Mt 11,25). É a humildade que nos faz alegres e simples, dedicados e eficazes em nossa missão de discípulos-missionários do Senhor, sempre disponíveis e sem medo de tentar e de recomeçar sempre.

Oração:

Senhora e Mãe Aparecida, o Senhor fez em vós maravilhas, porque encontrou um coração humilde e aberto às surpresas da Vontade divina. Jamais vos orgulhastes por ser a Mãe de Jesus, admirado e seguido pelo povo. Contudo, na hora da dor e da humilhação, permanecestes ao pé da Cruz, para ser identificada como a mãe do crucificado. Dai-me, Mãe querida, o grande dom da humildade, fazei que eu sinta um profunda necessidade da misericórdia divina, e que jamais tenha qualquer sentimento de vaidade espiritual diante das outras pessoas. Amém!

9ª MENSAGEM

A IMAGEM FOI QUEBRADA EM MUITOS PEDAÇOS

Nossa Senhora Aparecida é esperança de reunificação

Vivemos num tempo de fragmentação, em que desde a nossa dimensão psicológica até às instituições sociais e à própria fé nos dificultam interiorizar uma escala de valores éticos e manter um foco preciso para a nossa existência. Somos fragmentados e nos sentimos atraídos por uma multiplicidade de interesses e de imagens coloridas. Famílias, comunidades, igrejas, escolas etc. lutam para manter-se como ponto de encontro, de diálogo e de interação, mas as próprias redes sociais mais alimentam do que favorecem a superação de uma cultura da fragmentação. Ainda não tomamos consciência de que esse marketing de interesses múltiplos acaba sendo também a causa de muitas tensões, de frustrações existenciais e até de sofrimento, porque frequentemente nos sentimos sem forças e sem foco para seguir adiante. Multiplicam-se os pecados e os vícios, a superficialidade e a apatia, os medos e as inseguranças, dentro de uma sociedade também fragmentada, que reduz tudo a fenômenos rápidos e descartáveis, roubando nossas esperanças de dias melhores.

Esse contexto atual nos ajuda a compreender o que aconteceu em maio de 1978, quando um doente mental estourou o nicho de Nossa Senhora, na antiga Basílica, tirou a imagem para fora e a deixou cair no chão. Aquela imagem original, feita de terracota, espatifou-se em mais de 200 pedaços. Houve um abalo de dor na fé e na devoção de milhões de brasileiros, como se houvessem destruído seu maior sinal de esperança. A difícil restauração foi confiada ao Masp (Museu de Arte de São Paulo), que a entregou nas mãos competentes da restauradora Maria Helena Chartuni. Ao longo de 3 meses, Maria Helena, num trabalho delicado de imensa paciência, foi refazendo a imagem original.

O que isso traz de mensagem para nós? Nossa Senhora nos mostra que, se a unidade original da sua imagem foi refeita, sempre é possível reconstruir a unidade dentro e fora de nós, quando nos sentimos também fragmentados, dentro de uma sociedade fragmentada. Basta que tomemos o caminho da paciência, do amor, do carinho, ou, se necessário, da conversão, do perdão e da reconciliação, para que seja Maria a restauradora da nossa unidade, das nossas esperanças e dos focos da nossa existência.

A própria Maria Helena testemunha que, na medida em que restaurava a imagem de Nossa Senhora Aparecida, ela sentia que estava sendo restaurada por Maria em sua fé e em sua devoção. Lançou um testemunho belíssimo intitulado: A História de dois restauros – meu encontro com Nossa Senhora Aparecida: o primeiro, a reconstrução da imagem de Nossa Senhora Aparecida, após o atentado sofrido no dia 16 de maio de 1978, o segundo, como ela restaurou a minha vida (Ed. Santuário, 2016). Ela inicia o seu testemunho dizendo: "Espero que este depoimento ajude, de alguma forma, muitas pessoas perdidas, sem esperança, como fui um dia, e que a fé em algo maior que nós mesmos as ajude a encontrar a paz e o equilíbrio necessários para caminhar com mais alegria e confiança neste mundo conturbado em que vivemos todos, no mesmo barco que ameaça naufragar, diante dos graves problemas atuais".

Por isso, quando nos sentirmos quebrados por dentro, quando percebemos que somos impotentes diante de uma sociedade de mercado, que nos valoriza apenas enquanto somos consumidores capazes de produzir lucros, quando vemos nossa família se fragmentar e se dispersar pelo mundo, é hora de contemplar a imagem de Nossa Senhora Aparecida e confiar que Deus é maior do que as conjunturas históricas que nos condicionam. Por ter passado pela triste experiência da fragmentação total, a imagem de Nossa Senhora Aparecida é também esperança de restauração e de reunificação. Seja ela a restauradora da nossa existência, da nossa fé e da nossa persistência no amor, dando-nos paciência para juntar os cacos e refazer a unidade dentro e fora de nós.

Oração:

Senhora e Mãe Aparecida, ao contemplar hoje a vossa bela imagem, quase não me lembro de que um dia ela esteve reduzida a cacos. Como se fosse uma profecia, vós me alertastes para o tipo de sociedade em que vivo atualmente. Ao mesmo tempo, deste-me o exemplo de que sempre é possível restaurar a unidade e tornar-se ainda mais sólido do que antes. Mãe querida, por mais que me sinta fragmentado, não permitais que eu desanime jamais. Que vossas mãos carinhosas juntem os cacos da minha vida e restaurem minha imagem e semelhança com Deus. E iluminai-me para que eu também ajude a restaurar tantas existências fragmentadas ao meu redor. Amém!

10ª MENSAGEM

A IMAGEM TRAZ UM SORRISO NOS LÁBIOS

Nossa Senhora Aparecida é o sorriso de Deus para nós

Nós costumamos afirmar que Maria representa o rosto materno de Deus. E Deus se revelou em Jesus um ser de infinita bondade, pois tanto nos amou que nos deu o seu Filho único. A bondade sempre está unida à serenidade e à alegria. No entanto, em muitas supostas aparições de Maria, que se multiplicaram nos últimos anos, ela é apresentada como se estivesse sempre entristecida e até ofendida com os pecados dos homens. É difícil reconhecer nessas visões e mensagens a figura maravilhosa que nos deixou São Lucas, ao colocar em seus lábios o canto do Magnificat.

Maria viveu em tempos difíceis de dominação romana. Viu seu Filho rejeitado e crucificado. Possivelmente tenha testemunhado as primeiras perseguições aos seguidores de Jesus. Contudo, a imagem que os Evangelhos nos deixaram é de uma mulher serena, forte, que guardava todos os acontecimentos dentro do seu coração, porque confiava que Deus conduzia a história, apesar de todas as contradições. Eis a razão de poder cantar com alegria: *"Minha alma proclama a grandeza do Senhor, meu espírito se alegra em Deus, meu salvador... sua misericórdia continua de geração em geração"* (Lc 1,46-47.50).

Pois bem, ao contemplar a imagem de Nossa Senhora Aparecida bem de perto, mirando em sua boca, notamos que tem os lábios entreabertos, esboçando um doce sorriso. Do seu olhar sereno e materno, brota um sorriso meigo, dando-nos a certeza da sua presença e da sua proteção em todas as circunstâncias da nossa vida e da história da humanidade. Longe de fazer dramas por causa dos nossos pecados e dos pecados do mundo, ela nos olha com imensa ternura e compaixão, fazendo-nos confiar que nada é assim tão trágico que não tenha conserto. Quando contemplamos a pequenina imagem de nossa Mãe e Padroeira, voltamos a sentir a alegria da esperança e o gosto de viver, porque ela é o sorriso de Deus para nós.

Por isso, quando as provações do dia a dia fecharem o nosso rosto e tragarem o nosso sorriso, vale a pena seguir este conselho: Olhe para Maria e recupere sua alegria!

Oração:

Senhora e Mãe Aparecida, vosso sorriso materno alimenta minha confiança no vosso amor paciente, que nunca se cansa de me acolher. Muitas vezes minha alma está triste, sinto-me desorientado e desanimado. Venho buscar em vosso olhar e em vossos lábios a certeza de que o lado do amor continua sendo maior e mais forte do que o lado do desamor e do ódio. Em vosso sorriso, que atravessa os séculos, renovo minha confiança de que tudo concorre para o bem daqueles que amam a Deus. E sinto que a alegria da minha fé é mais profunda do que as contradições tristes de certos momentos. Ensinai-me a sorrir como vós, a confiar nos desígnios do Pai e a seguir caminhando cheio de esperança. Amém!

O milagre de Nossa Senhora Aparecida

Os homens não tinham peixe para o conde de Assumar.
Os barcos desciam nas águas escuras
Do rio deserto... E os barcos subiam
Nas águas escuras do rio deserto...
Tornavam subindo... descendo... a tentar!
Lançavam as redes... Puxavam as redes...
E as redes vazias! Sem nada pescar!
Os homens não tinham peixe para o conde de Assumar.

Domingos Garcia, caboclo valente,
Com os braços de ferro, tocava a empurrar
A triste canoa, sem nada pescar.
Pedroso gritava para os companheiros,
Que logo cortaram as águas escuras do rio deserto...

"Olá! companheiros! Olá! canoeiros!
Que novas a dar?! Que novas a dar?!"

E a mesma resposta caía da noite,
Nos barcos vazios, sem nada pescar...
Os homens não tinham peixe
Para o conde de Assumar!...

João Alves, aflito, já sem esperança,
Olhando as estrelas, se pôs a rezar:

"Santíssima Virgem! Tem pena de mim!...
Rainha celeste! Tem pena de mim!...
És dona dos peixes, que moram nas águas!
Ordena que venham encher nossos barcos!
Que um só dos teus gestos nos pode salvar!...
Dá-nos peixe pra dom Pedro, para o conde de Assumar!"

E a rede atirando, com punho de mestre,
A rede nas águas se abriu em estrelas,
Caiu... Foi ao fundo... (João Alves chorava,
João Alves rezava, tocado de fé!...)
Puxou de mansinho, que a rede pesava...
"São peixes! - dizia. São peixes, enfim,
Que Nossa Senhora tem pena de mim..."

Mas, - oh! – luz estranha que vem dentro à rede!
É Nossa Senhora que vem dentro à rede,
Do pobre, do humilde, feliz pescador,
Que louco de alegre se põe a gritar:
Olá! canoeiros! Olá! companheiros!

Olá! pescadores que estais a pescar!
Milagre! Milagre! Fazei vosso lanços,
Que Nossa Senhora já me apareceu!"
E os homens todos tocados de uma alegria sem par
Encheram os barcos de peixe para o conde de Assumar.

Ó Nossa Senhora, que ouviste o barqueiro,
Que ouviste há dois séculos, de nós não te vás!

Nem mesmo um instante, sequer, nos esqueças!
Tu, que apareceste, não desapareças
Daqui, desta Pátria! Jamais! Nunca mais!

© Adelmar Tavares
In Poesias completas, 1958

Consagração a Nossa Senhora Aparecida

Ó Maria Santíssima, pelos méritos de Nosso Senhor Jesus Cristo, em vossa querida imagem de Aparecida, espalhais inúmeros benefícios sobre todo o Brasil. Eu, embora indigno de pertencer ao número de vossos filhos e filhas, mas cheio do desejo de participar dos benefícios de vossa misericórdia, prostrado a vossos pés, consagro-vos o meu entendimento, para que sempre pense no amor que mereceis; consagro-vos a minha língua para que sempre vos louve e propague a vossa devoção; consagro-vos o meu coração, para que, depois de Deus, vos ame sobre todas as coisas. Recebei-me, o Rainha incomparável, vós que o Cristo crucificado deu-nos por Mãe, no ditoso número de vossos filhos e filhas; acolhei-me debaixo de vossa proteção; socorrei-me em todas as minhas necessidades, espirituais e temporais, sobretudo na hora de minha morte. Abençoai-me, ó celestial cooperadora, e com vossa poderosa intercessão, fortalecei-me em minha fraqueza, a fim de que, servindo-vos fielmente nesta vida, possa louvar-vos, amar-vos e dar-vos graças no céu, por toda a eternidade. Assim seja!

A marca FSC® é a garantia de que a madeira utilizada na fabricação do papel deste livro provém de florestas que foram gerenciadas de maneira ambientalmente correta, socialmente justa e economicamente viável.

Este livro foi composto com as famílias tipográficas Bodoni, Calibri e Segoe Swash e impresso em papel Offset 63g/m² pela **Gráfica Santuário.**